RATUS POCHE

COLLECTION DIRIGÉE PAR JEANINE ET JEAN GUION

❧

Clara et le dauphin

Baptiste et Clara

© Hatier Paris 2009, ISSN 1259 4652, ISBN 978-2-218-92925-0

Clara
et le dauphin

Une histoire d'Olivier Daniel
illustrée par François Foyard

HATIER

Julien

Kitty

M. et Mme Loiseau

Baptiste

Clara

Les personnages de l'histoire

1

Clara nageait droit devant elle, vers le grand large. Et plus elle s'éloignait de la plage, plus elle avait le sentiment de s'éloigner de ses problèmes. Cela lui faisait du bien.

Depuis qu'elle était arrivée aux Sables d'Olonne, rien n'allait comme elle le voulait. Julien, le plus beau garçon de sa classe, l'ignorait complètement. Il ne parlait qu'avec Kitty, une Parisienne stupide qui se croyait drôle et belle. Clara la détestait. Dire qu'elle avait sauté de joie en apprenant que Julien passerait ses vacances dans le même endroit qu'elle !

Clara se retourna et vit que la plage n'était plus qu'une ligne foncée à l'horizon. À cet instant, un gros nuage noir masqua le soleil. Un vent frais se leva. La mer commença à se creuser. L'orage menaçait. Clara fit demi-tour. Mais le courant, qui jusque-là l'avait portée, était maintenant contre elle. C'était un courant très puissant. Clara avait beau nager, elle ne pouvait plus avancer. Et elle s'épuisa rapidement. Aurait-elle la force de regagner la plage ?

– Au secours, gémit-elle.

Elle était hors d'haleine. Devant elle, se dressaient des vagues couvertes d'écume. Le vent hurlait dans ses oreilles. Un éclair déchira le ciel. Le tonnerre gronda. Clara chercha la côte des yeux, mais le sel contenu dans l'eau de mer lui brûlait les paupières. Elle ne voyait plus rien. Elle avait froid. Elle avait peur. Elle avait mal partout. Un nouveau coup de tonnerre lui vrilla les tympans. Clara chercha de l'air et avala de l'eau. Elle la recracha, toussa et grimaça. Elle avait envie de vomir.

– Au secours, répéta-t-elle.

Elle n'avait plus de voix. Et qui pouvait l'entendre ? Elle était épuisée. Elle allait se noyer. La mer se préparait à l'engloutir.

Alors Clara sentit le frôlement d'une aile, sous son ventre. Aussitôt après, elle crut apercevoir une forme sombre, tournoyant dans l'océan. Était-ce un monstre venu des profondeurs pour la dévorer ou un oiseau tombé du ciel pour lui porter secours ? À nouveau, l'aile glissa contre son corps. Elle se sentit soulevée. Elle toucha quelque chose et s'y accrocha… Elle était sur le point de perdre connaissance.

Clara ouvrit les yeux : à présent elle était allongée sur un lit, dans une chambre d'hôpital. Mais dans son esprit, elle était encore au cœur de la tempête, ballottée par les eaux furieuses. Elle se rappela cette forme sombre et mystérieuse qui s'était approchée d'elle…

Une silhouette se pencha au-dessus de son lit. C'était sa mère. Clara lui sourit.

– Comment te sens-tu, ma chérie ? dit Mme Loiscau. J'ai eu si peur. Mais qu'est-ce qui t'a pris d'aller nager aussi loin ? Sais-tu au moins comment tu as été sauvée ?

Clara voulut répondre, mais aucun son ne sortit de sa bouche. Elle était encore bien trop faible.

– Laissez-la se reposer, murmura une infirmière à Mme Loiseau.

Un médecin entra dans la chambre et donna un médicament à Clara. Celle-ci se sentit mieux et ses joues reprirent des couleurs. Sa mère et l'infirmière l'aidèrent à se lever au moment où son père pénétrait dans la pièce. Il la serra dans

Qui a sauvé Clara de la noyade ?

ses bras et l'embrassa, avant de parler d'un journaliste, qui voulait tout savoir du sauvetage de sa fille par un dauphin.

— C'est un dauphin qui m'a sauvé la vie ? demanda Clara, sidérée.

— Parfaitement, répondit M. Loiseau. Un dauphin ! Il t'a ramenée sur la terre ferme. Extraordinaire !

— Un dauphin m'a sauvé la vie, répéta Clara en tremblant. L'aile... c'était un aileron de dauphin...

— Tu as eu beaucoup de chance, dit Mme Loiseau.

— Beaucoup de chance, insista son père.

Dès lors, Clara n'eut plus qu'une idée en tête : quitter l'hôpital au plus vite et retrouver l'animal qui l'avait sauvée, pour le remercier.

Mais avant qu'elle ne sorte de sa chambre, le médecin lui ordonna de se reposer chez elle, pendant vingt-quatre heures.

— Je veillerai à ce que ma fille vous obéisse, promit Mme Loiseau.

De retour dans la maison qu'avaient louée ses parents pour les vacances, Clara fut assaillie de questions par son frère Baptiste, au sujet du dauphin. Elle refusa de lui répondre et s'enferma dans sa chambre. Elle s'allongea sur son lit et essaya de se souvenir : l'aileron, sous son ventre… cette forme sombre… Retrouverait-elle son sauveur ?.. Elle décida de l'appeler « Sauveur ».

Le jour suivant, Clara vit son visage s'étaler en première page du Journal des Sables d'Olonne, avec ce titre : « *Une jeune fille sauvée de la noyade par un dauphin !* ». Le journaliste avait réussi à la photographier quand elle était sortie de l'hôpital.

– Ma sœur est devenue une vedette ! s'écria Baptiste, qui avait acheté le journal, avec sa mère.

C'était un jeudi et Clara enragea en se rappelant qu'elle avait l'interdiction de sortir de chez elle. Pendant ce temps, Sauveur devait l'attendre, au large de la plage, pour avoir de ses nouvelles. Il fallait qu'elle le rejoigne avant qu'il ne reparte au pays des dauphins.

Le journaliste avait fini par trouver son adresse et voulait qu'elle lui accorde une interview. M. Loiseau le chassa à coups de balai.

Baptiste, lui, partit à la pêche : il ne pensait qu'à attraper des poissons.

À présent, Clara faisait les cent pas dans sa chambre en se demandant comment sortir de la maison sans que ses parents la voient. Lui faudrait-il escalader le mur du jardin ? Mais si elle se cassait une jambe, elle ne pourrait jamais retrouver son sauveur. Ce serait terrible pour elle de ne pas le remercier.

On sonna à la porte donnant sur la rue. Clara sortit de sa chambre et tendit l'oreille. Elle comprit que ses parents discutaient avec un livreur, venu leur apporter un matelas. Tous trois allèrent dans la cuisine, pour remplir des papiers.

– Si je veux partir, c'est tout de suite, pensa Clara.

Elle enfila les tongs bleues que sa mère lui avait offertes, pour les vacances. L'instant d'après, elle traversait un étroit couloir sur la pointe des pieds. En passant devant la porte de la cuisine, elle s'efforça de faire le moins de bruit possible. Ses parents et le livreur lui tournaient le dos. Par chance, ils ne la virent pas s'en aller. Elle était en sueur tellement elle avait peur d'être prise en faute.

Une fois hors de la maison, Clara se dirigea vers la plage. Tout en marchant, elle réalisa que plusieurs personnes la regardaient avec insistance et chuchotaient sur son passage. Beaucoup d'entre elles reconnaissaient « *la jeune fille sauvée de la noyade par un dauphin* », dont la photographie était accrochée dans la devanture de plusieurs marchands de journaux.

Bientôt un groupe d'enfants se massa autour d'elle, pour lui poser des questions sur son sauvetage miraculeux. Cette situation était très contrariante pour Clara, censée devoir rester chez elle, au repos, pendant vingt-quatre longues heures. Si ses parents apprenaient qu'elle était en train de se promener en ville, elle serait punie. Aussi s'échappa-t-elle soudain du cercle des enfants qui l'entouraient. Puis elle s'enfonça dans des ruelles, en longeant les murs et en masquant son visage avec ses mains.

– Clara ! s'écria une voix.

C'était celle de Julien. Le plus beau garçon de sa classe se planta devant elle et voulut, à son tour, tout savoir de son sauvetage.

– Je suis pressée, dit-elle en essayant de le contourner.

Il parvint à la retenir.

— Je ne me souviens de rien, marmonna Clara. Laisse-moi tranquille, s'il te plaît.

— Mais où vas-tu comme ça ? reprit Julien, intrigué.

Cette fois-ci, elle le bouscula avec une telle force qu'il tomba sur les fesses, juste devant la terrasse d'un café, dont les clients se moquèrent de lui.

— Tu es devenue complètement folle, marmonna-t-il à l'adresse de Clara, qui était déjà loin.

Arrivée sur la plage, elle scruta la mer, à la recherche de Sauveur. Mais elle ne vit que des baigneurs, des voiliers et des véliplanchistes, qui s'amusaient avec le vent. Avait-elle la plus petite chance de revoir le dauphin ? À cet instant, une main s'abattit sur son épaule. Clara sursauta, se retourna et grimaça en voyant son père. Il avait un regard sombre.

— Que fais-tu là ? dit-il.

— Oh, papa ! Heu... je sais, je devrais être à la maison, bredouilla-t-elle. Mais j'avais très envie de revoir mon sauveur, pour le remercier. Oh, papa ! Comprends-moi, s'il te plaît merci...

Le visage de M. Loiseau se détendit un peu. Sa fille se blottit contre lui et éclata en sanglots. Elle savait bien que lorsqu'elle pleurait, son père ne la punissait presque jamais.

– Rentrons à la maison, soupira M. Loiseau. Je vais m'arranger avec ta mère. Mais ça ne sera pas facile, elle est en colère contre toi.

Sur le chemin du retour, Clara aperçut Julien en compagnie de Kitty, la Parisienne stupide et prétentieuse. Ils avaient l'air de beaucoup rire, tous les deux, et cela lui donna envie de pleurer pour de vrai.

2

Quelques jours plus tard, Clara arriva tôt sur la plage des Sables d'Olonne et repéra un coin tranquille, d'où elle pourrait observer l'océan sans être dérangée. C'était une zone rocheuse, située à l'écart de toutes les constructions du bord de mer. L'endroit était protégé des regards par une digue en béton.

4

Clara ôta ses tongs bleues, s'installa confortablement et scruta l'horizon, à l'aide de jumelles prêtées par son père.

L'idée que Sauveur était retourné vers le grand large lui avait fait passer une mauvaise nuit, entrecoupée de cauchemars. À présent, elle avait du mal à garder les yeux ouverts. Des points noirs semblables à des mouches minuscules se déplaçaient dans son champ de vision. Ce phénomène, dû à la fatigue, lui donna de fausses joies. Car, à plusieurs reprises, elle confondit l'un des insectes imaginaires qui virevoltaient dans ses pupilles avec l'aileron de son cher Sauveur.

Viendrait-il ? Clara l'espérait. Elle se voyait déjà nager avec son nouvel ami : il la porterait sur son dos. Elle se sentirait en sécurité. Ils s'amuseraient avec les vagues. Ils feraient la course avec les bateaux.

Ensuite, Clara raconterait à Sauveur tout ce qu'elle avait sur le cœur : elle lui parlerait de Julien et de Kitty la méchante, qui lui gâchait ses vacances. La première fois qu'elles s'étaient vues, Kitty lui avait dit :

– Tu es la fille la plus mal habillée que je connaisse !

Clara, vexée, n'avait su que répondre.

Mais ce qui l'énervait par-dessus tout, c'était la façon dont Julien écoutait et regardait la Parisienne, comme si celle-ci était une superstar. Dès lors qu'elle se trouvait à côté de lui, il était prêt à faire ses quatre volontés. Le vrai toutou à sa Kitty ! Clara serra les dents et scruta à nouveau la mer, à l'aide de sa paire de jumelles : pas de dauphin à l'horizon. Elle se sentit triste et se demanda comment elle allait occuper ses vacances : devrait-elle supporter encore long-temps les moqueries de Kitty ? Dommage que Clara n'ait pas pu aller à Londres, avec sa copine

Lucie, pour apprendre l'anglais ! Quoiqu'il en soit, l'année prochaine, elle partirait en vacances à l'autre bout du monde, pour être sûre de ne pas croiser Julien.

Clara lança un dernier regard vers la mer et son cœur se mit à battre très fort. Elle venait de voir une forme sombre, sauter hors de l'eau. Elle retint sa respiration et ouvrit grand les yeux. La forme se montra à nouveau, à quelques mètres des rochers. C'était Sauveur ! Clara laissa tomber les jumelles, enleva rapidement ses vêtements et courut vers son ami à en perdre le souffle. Plusieurs fois, elle faillit glisser sur des algues. Elle parvint à garder l'équilibre et plongea la tête la première dans l'océan. Elle était tellement impatiente.

Elle s'éloigna du bord en nageant aussi vite qu'elle le put et se tourna de tous côtés. Mais le dauphin ne se montra pas. Elle l'appela : pas de réponse. Il régnait à présent un silence inquiétant. Alors Clara eut peur d'avoir confondu Sauveur avec un requin mangeur d'hommes. Y avait-il des requins qui préféraient manger les petites filles ? Elle eut la chair de poule quand elle sentit quelque chose de lisse frôler sa jambe droite. Était-ce une pieuvre géante qui s'apprêtait à la capturer dans ses tentacules ? Clara, paniquée, nagea à toute vitesse vers les rochers. Depuis toujours, elle avait peur des pieuvres. Et il n'y avait personne pour lui porter secours.

Soudain, un mur se dressa devant elle, soulevant des gerbes d'eau et obscurcissant le ciel. Clara, saisie d'effroi, se figea dans la mer et ferma les paupières. Elle ne voulait pas voir le monstre qui lui barrait le chemin de la terre. Elle tremblait de tout son corps et elle claquait des dents. Elle était tendue à l'extrême. Le monstre, à cet instant, émit une sorte d'aboiement avant de siffler doucement, à la manière d'un oiseau. Clara, désemparée, entrouvrit les paupières et vit, juste devant elle, le bec allongé d'un dauphin : c'était Sauveur ! Un formidable soulagement la gagna aussitôt. Ses muscles se détendirent tandis que le dauphin, qui paraissait sourire, se mit à nager autour d'elle, comme s'il voulait la protéger des dangers de l'océan. Désormais rassurée, Clara le suivit du regard.

– Ah ! te voilà enfin, dit-elle. Tu m'as fait peur.

Sauveur secoua son lourd museau. Comprenait-il ce qu'elle disait ? Elle ajouta d'une petite voix :

— Merci de m'avoir sauvée. Sans toi, je me serais noyée.

Il vint se placer à côté d'elle et posa très délicatement sa tête dans le cou de sa nouvelle amie. Clara eut d'abord un mouvement de recul. Puis elle fut émue jusqu'aux larmes. Elle avait l'impression de vivre le moment le plus fort de sa vie.

— Merci de m'avoir sauvée, répéta-t-elle. À partir de maintenant, on ne se quittera plus. Plus jamais.

Elle se sentait si bien contre la peau lisse et douce du dauphin, qui lui rappela son doudou. Ses paupières se fermèrent… quel bonheur !

Hélas, Sauveur disparut vite dans les profondeurs. Et elle eut beau l'appeler, il ne se montra plus.

Déçue, Clara nagea vers les rochers. Sur l'un d'eux se tenait une fille. Très vite, elle reconnut Kitty, dont la présence l'intrigua. La Parisienne l'avait-elle vue en compagnie de son nouvel ami ? Clara serra les dents. Kitty lui adressa

Qui Clara voit-elle sur les rochers ?

soudain un geste menaçant et tourna les talons en emportant ses tongs bleues.

– Voleuse ! lança Clara, qui n'était plus qu'à quelques mètres de la rive. Voleuse ! Rends-moi mes tongs !

Lorsqu'elle regagna la terre ferme, Kitty avait disparu. Elle enrageait. Elle aimait tant ses tongs. Elle allait se venger, elle porterait plainte à la police. Nul n'avait le droit de prendre des affaires qui ne lui appartenaient pas, pas plus cette Kitty de malheur que les autres ! Clara, furieuse, frappa le sol à coups de talons. Elle eût de beaucoup préféré frapper cette satanée voleuse.

Elle se tourna une dernière fois vers la mer, pour voir si l'aileron du dauphin émergeait de la surface. Mais celle-ci était lisse comme un miroir. Alors Clara marcha vers la ville, en s'efforçant de ne penser qu'à Sauveur. Mais ce qu'avait fait Kitty revint la hanter à plusieurs reprises.

Une demi-heure plus tard, elle était dans sa chambre et elle ruminait sa vengeance. Le vol de ses tongs la contrariait beaucoup. Elle y tenait tant. Elle les avait choisies avec l'aide de sa mère, le premier jour des vacances, dans une boutique chic des Sables d'Olonne. C'était un beau cadeau. Pourquoi cette horrible Kitty les lui avait-elle prises, une Kitty qui, par-dessus le marché, devait avoir beaucoup d'argent, à en juger par ses vêtements, jamais les mêmes et toujours neufs : des vêtements hors de prix. Mais où habitait-elle ? Sûrement dans l'une des belles maisons situées au bord de la mer. Clara sonnerait à toutes les portes et elle retrouverait son bien. Ah, si Sauveur pouvait l'aider !

Pendant le repas de midi, Clara tâcha de passer inaperçue. Elle n'avait pas envie de parler. Mais sa mère lui dit tout à coup :

— Où sont passées tes tongs bleues ?

M. Loiseau ajouta :

— Et les jumelles que je t'ai prêtées ce matin, où sont-elles ?

Clara resta sans voix, en se souvenant seulement maintenant qu'elle avait laissé les jumelles de son père sur les rochers. Kitty les avait-elle aussi volées ?

— Nous t'écoutons ! reprit sa mère d'un ton sec.

Clara marmonna :

— Un voleur m'a tout pris. J'ai couru derrière

lui sans pouvoir le rattraper. Il était très grand et très fort.

– Un voleur ? s'écria Baptiste. Tu as pu voir ses yeux ? Ils lançaient des éclairs ?

– C'était un homme sur une moto, bredouilla sa sœur. Une grosse moto noire…

– Et il a volé tes tongs ? reprit M. Loiseau, sceptique.

9

– Oui ! Mes tongs ! Il les a emportées sur sa moto !

Suivit un lourd silence. Puis Mme Loiseau déclara :

– J'ai l'impression, ma petite chérie, que tu nous caches la vérité. Je me trompe ?

Clara se leva d'un bond et courut dans sa chambre. Elle était à bout de nerfs.

3

Mme Loiseau rejoignit rapidement sa fille, pour avoir avec elle une explication franche. La vérité sortit bientôt de la bouche de Clara : elle parla d'abord de Sauveur, qu'elle avait eu la chance de voir ce matin.

– Il m'a fait un bisou dans le cou, ânonna Clara, très émue. Il est devenu mon seul ami.

Ensuite, elle parla de Julien et de cette satanée Kitty, la voleuse de tongs, qui empoisonnait ses vacances.

– Dis-moi, ce Julien, remarqua sa mère, n'est-ce pas le garçon de ta classe dont tu es un peu amoureuse ?

– Je ne suis pas du tout amoureuse de lui ! protesta Clara en rougissant. Pas du tout !

– Très bien, ma chérie, je n'ai rien dit. Et qui est cette Kitty ?

– Une amie à lui, une fille riche et prétentieuse. Elle habite à Paris. Elle se croit tout permis. Je la déteste !

– Tu ne serais pas un peu jalouse d'elle ? fit Mme Loiseau.

– Moi, jalouse de cette fille ? s'écria Clara. Sûrement pas ! Et puis, c'est elle qui a commencé ! Elle m'a traité de plouc ! C'est une voleuse ! Je l'ai vue prendre mes tongs !

– Elle a dû les trouver très belles et elle va peut-être te les rendre.

– Elle veut me faire du mal !

– Si elle veut te faire du mal, reprit sa mère, cela signifie qu'elle-même se sent mal.

– Bien fait pour elle !

– Elle n'est sûrement pas très heureuse. Elle doit avoir des problèmes.

– Tant mieux ! J'aimerais qu'elle ait des tonnes de problèmes qui finissent par la faire disparaître !

– Calme-toi, ma fille, s'il te plaît.

– Oui, maman. Pardon.

– Et les jumelles de ton père ?

– Je les ai oubliées au bord de la mer, avoua Clara. Je vais retourner les chercher.

– Avant cela, tu finiras ton repas. Et pour tes tongs, ne t'inquiète pas : je t'en offrirai une autre paire.

– Ah, merci, maman !

– Ça va mieux ?

– Oui.

– Bleues, les tongs ?

– Oui. Les mêmes. Je veux exactement les mêmes.

– D'accord, ma chérie. Je te donne rendez-vous à seize heures, devant la petite boutique où nous les avons achetées.

– J'y serai.

– Maintenant, retournons à table.

– Je voudrais te dire quelque chose, maman : ça m'a fait du bien de parler avec toi.

Elles échangèrent un sourire et s'embrassèrent.

En début d'après-midi, Clara gagna la zone rocheuse en passant par de toutes petites rues, pour ne pas être dérangée par les curieux, toujours intéressés par des détails sur son sauvetage. Arrivée à bon port, elle eut la chance inouïe de retrouver les jumelles de son père. Ensuite, elle resta un long moment assise sur un rocher, avec l'espoir de revoir Sauveur. Elle avait tant de choses à lui dire, surtout à propos de Julien, qui la décevait beaucoup. Jamais elle n'aurait pu imaginer qu'il était aussi bête : se laisser impressionner par une fille telle que Kitty, qui n'était même pas belle… Tous les garçons se comportaient-ils comme Julien ?

Clara eut besoin de se changer les idées et décida de se baigner. Il faisait si chaud, ce jour-là. Après s'être assurée que son ennemie n'était pas dans les parages, elle se mit en maillot de bain, avança vers la mer et rentra dans l'eau. Puis elle nagea tranquillement vers le large. Au loin, quelques voiliers participaient à une course. Sur sa droite, de l'autre côté de la digue, deux jeunes gens s'amusaient avec un matelas pneumatique et des véliplanchistes jouaient avec le vent.

Clara fit la planche et vit des mouettes, dans le ciel. Elle regretta de ne pas pouvoir voler. Elle aurait tant aimé, grâce à quelques coups d'ailes, se rendre à Londres pour voir ce que sa meilleure amie était en train de faire. Lucie lui ramènerait-elle un cadeau typiquement anglais ? Clara se demanda ce qui lui ferait le plus plaisir : un tee-shirt ? Un pull ? Un CD ? Une part de pudding ? Du thé ? Non, ni du thé ni du pudding : un tee-shirt rose, très rose.

Clara se remit sur le ventre et entendit un sifflement. Soudain un mur sembla se dresser

Que font Sauveur et Clara ?

devant elle, soulevant des gerbes d'eau. Sauveur était de retour !

Le dauphin, comme la dernière fois, traça des cercles autour d'elle. Il était beau. Elle le lui dit. Il s'approcha d'elle.

– J'ai besoin de te parler, murmura-t-elle.

Elle lui raconta ses malheurs : le vol de ses tongs, la trahison de Julien. Sauveur s'immobilisa et agita son gros museau. Il l'écoutait et la comprenait. Il lui offrait son amitié et Clara en fut bouleversée.

– Viens faire un câlin, dit-elle, en lui tendant les bras.

Il s'approcha encore de la nageuse et posa à nouveau la tête dans son cou. Elle l'embrassa et le caressa. Jamais elle ne s'était sentie aussi heureuse.

– Je suis si contente de t'avoir rencontré ! murmura-t-elle. Sans toi, mes vacances auraient été complètement ratées.

Sauveur prit tout à coup du recul et elle aperçut ses nombreuses dents, petites et pointues. Cela l'effraya un peu. Serait-il capable de la croquer dans un moment de folie ? Après tout, les animaux pouvaient avoir des réactions imprévisibles. Elle frissonna. L'instant d'après, le dauphin parut lui sourire et elle sut qu'il ne lui ferait aucun mal.

Il recommença à nager autour d'elle. Clara lui parla de Lucie, de son frère Baptiste avec lequel elle se disputait souvent, et de ses parents qu'elle aimait. Elle avait envie de tout lui dire de sa vie, de ses rêves, de ses joies et de ses peines. Mais lui avait plutôt envie de jouer, et il se mit à bondir hors de la mer, en éclaboussant son amie. Elle éclata de rire. Il sauta, puis avec l'aide de sa queue, il recula, debout sur l'eau. Il se tenait droit comme un i. Il avait l'air d'un clown.

– Bravo, Sauveur ! lança Clara. Tu es formidable ! Un champion !

Elle voulut le rejoindre pour nager avec lui, en s'accrochant à sa nageoire. Ensemble, ils pourraient aller loin, plus loin que la ligne d'horizon. Il l'emmènerait dans son monde. Et s'ils partaient en Angleterre, pour faire une surprise à Lucie ? Ce serait formidable !

Clara cessa de nager et regarda de tous côtés. Sauveur n'était plus là. Elle l'appela et vit enfin le bout de sa nageoire dorsale. Il se dirigeait vers le large.

— Sauveur ! cria-t-elle. Reviens ! Ne me laisse pas !

Mais, après un dernier saut magnifique, le dauphin disparut vers les profondeurs. Pourquoi s'en allait-il déjà ? Craignait-il d'être capturé ? Quelle était son histoire ? Avait-il une famille ? Clara retourna vers les rochers en se promettant, qu'un jour prochain, elle répondrait à ces questions.

Elle s'allongea dans une crique proche des rochers et ferma les yeux. Elle n'avait que Sauveur en tête. Elle le revit bondir et sourire. Elle se rappela son sifflement. Elle avait l'impression qu'il lui serait désormais impossible de vivre sans lui.

Clara remit ses baskets et enfila ses vêtements, par-dessus son maillot de bain. Il lui fallait maintenant rejoindre sa mère dans le centre ville, pour acheter de nouvelles tongs.

À nouveau, elle entendit son prénom murmuré ici et là, tandis qu'elle marchait à travers les rues. On la montra aussi du doigt, ce qu'elle n'apprécia pas du tout. Pour les gens, elle était toujours « *la jeune fille sauvée de la noyade par un dauphin* ».

– Si une météorite tombait sur la plage, pensa Clara, on ne s'intéresserait plus à moi et je serais enfin tranquille.

Un homme se planta devant elle, ce qui l'obligea à s'arrêter. C'était le journaliste. Il voulait connaître les détails de ce qui lui était arrivé, deux jours plus tôt.

– Je n'ai rien à vous dire, marmonna Clara.

– Juste quelques mots, insista le journaliste : comment était le dauphin ?

– Moche. Avec des boutons sur le museau.

– Tu n'es pas très gentille.

Soudain une voix cria :

– Au voleur ! Au voleur !

Clara se tourna de côté et vit deux policiers courir derrière Julien. Elle écarquilla les yeux. Le plus beau garçon de sa classe était-il devenu un bandit ?

Dans la pagaille qui suivit, elle put facilement se débarrasser du journaliste et rejoignit sa mère devant la petite boutique chic. Mme Loiseau lui offrit une paire de tongs vertes (il n'y avait plus de bleues). Dehors, le vent s'était levé, des nuages noirs s'accumulaient dans le ciel. Elles firent vite quelques courses et rentrèrent chez elles.

— Je te trouve préoccupée, dit Mme Loiseau à sa fille. As-tu encore eu des ennuis avec cette Kitty ?

— Non, répondit Clara. Je me sens juste un peu fatiguée.

En fait, elle était très troublée par le comportement de Julien. Les policiers l'avaient-ils attrapé et jeté en prison ?

Plus tard, dans son lit, elle mit de longues heures à s'endormir. Dehors, la tempête faisait rage. Des panneaux publicitaires furent détachés de leurs supports et volèrent à travers les rues. Clara pensa à Sauveur. Était-il en danger dans la mer déchaînée ? Elle l'imagina, poussé vers les rochers et l'appelant au secours. À plusieurs reprises, elle faillit se lever pour le rejoindre.

4

Le lendemain matin, un cargo de quatre-vingts mètres était échoué sur la plage des Sables d'Olonne. Les vents violents, qui avaient soufflé durant la nuit, l'avaient détourné de sa route. Une grande partie des habitants de la ville s'étaient massés sur le Remblai pour le regarder. 13 Rarement l'on avait vu un bateau aussi gros sur cette plage.

À peine réveillée, Clara courut vers la mer. Elle avait peur pour Sauveur. Si la tempête l'avait projeté sur un rocher… Elle ne supporterait pas de le voir mort. Elle l'aimait trop. Elle courut le plus vite qu'elle put. Peut-être arriverait-elle à temps pour le sauver. Elle lui devait bien ça. Elle lui devait la vie.

Clara, hors d'haleine, s'arrêta sur la digue et regarda vers les rochers. Ils étaient recouverts d'objets hétéroclites, tombés de plusieurs 14 embarcations et poussés vers la côte par les vents furieux de la nuit. Elle distingua des sacs en plastique, des bouteilles vides, des bidons et des jouets cassés. Soudain, elle aperçut une forme sombre et immobile, à quelque cent mètres devant elle. Son cœur se serra. Était-ce Sauveur ? Elle s'en voudrait toujours de ne pas lui avoir porté secours s'il restait un petit espoir de le tirer d'affaire.

Clara courut vers la forme sombre, en survolant de nombreux obstacles, les poings serrés. Plus elle se rapprochait du but, plus l'angoisse qui l'étreignait lui donnait mal au ventre. Une boule, dans sa gorge, gênait sa respiration. Elle survola une flaque d'eau, glissa sur une algue et dut se contorsionner pour ne pas perdre l'équilibre. Elle se retrouva dos à la forme et jugea préférable de ne plus courir sur les rochers, sauf à risquer de tomber et de se briser les os. Dans le ciel encore chargé de nuages, une mouette parut rire aux éclats. Clara lui fit signe de se taire. Elle était très nerveuse. Maintenant, il lui fallait avoir le courage de se retourner, pour découvrir dans quel état se trouvait le malheureux Sauveur. Combien de minutes un dauphin pouvait-il vivre hors de la mer ? Dix ? Vingt ? Cent ? Clara prit une grande inspiration, jeta un regard derrière elle. Et elle fut stupéfaite de voir que ce qu'elle avait pris pour Sauveur était en réalité une toile de tente ! Elle poussa un cri de joie dont l'écho retentit au-delà de la digue en béton.

Clara resta longtemps debout sur les rochers à scruter la ligne d'horizon. Elle espérait apercevoir le bout de la nageoire dorsale de son ami. Mais elle ne vit que des objets sans importance. Elle se mordilla les lèvres et pensa que, peut-être, le dauphin avait regagné le large, chassé par la tempête. Le reverrait-elle un jour ? Ses yeux s'emplirent de larmes. Elle regrettait beaucoup de ne pas l'avoir photographié.

De retour en ville, Clara se fondit dans la foule, attirée par le cargo échoué sur la plage. Désormais plus personne ne n'intéressait à elle. Elle s'en félicita.

Bientôt, elle sentit une main se poser sur son bras gauche. C'était celle de Julien.

– Salut ! Tu vas bien ? demanda-t-il.

– Tu es déjà sorti de prison ? répliqua-t-elle.

– Qu'est-ce que tu racontes ? fit Julien, sidéré.

– Je t'ai vu, hier, poursuivi par deux policiers.

– Ce n'était pas après moi qu'ils couraient,

mais après un voleur ! J'ai voulu les aider. J'étais dans un magasin de vêtements avec Kitty quand une vendeuse a crié…

— Tu passes ta vie avec Kitty, l'interrompit Clara. Moi, cette fille, je ne l'aime pas. C'est normal puisqu'elle me déteste.

— Pas du tout ! protesta Julien. Kitty est peut-être bizarre, mais je t'assure qu'elle t'aime beaucoup. D'ailleurs, elle voudrait te ressembler.

— En attendant, elle a volé mes tongs !

Soudain, Clara poussa un cri de douleur. Kitty, surgie d'on ne sait où, venait de lui écraser les pieds. Puis la Parisienne, qui lui tournait le dos, parla à voix basse à Julien. Il hocha la tête. Kitty lui lança un petit signe et disparut comme elle était venue : en courant. Clara était en train de se masser les orteils, à travers ses baskets.

— Elle t'a fait mal ? demanda Julien, un peu gêné.

— Bien sûr que oui ! hurla Clara.

— Elle n'a pas dû le faire exprès. Tu veux que je t'offre une glace ?

— Je veux que tu lui dises de me rendre mes tongs ! Je veux que tu me laisses tranquille ! Je ne veux plus te voir ! Je ne te parlerai plus !

Quel métier Clara rêve-t-elle d'exercer plus tard ?

Clara s'éloigna du plus beau garçon de sa classe d'un pas décidé. Quelques minutes plus tard, assise sur le rebord d'une fontaine dans laquelle elle jetait des cailloux, elle prit la décision la plus importante de sa vie : dorénavant, elle ne s'occuperait plus que de Sauveur. Et quand elle serait grande, elle deviendrait vétérinaire pour dauphins !

Elle se voyait déjà faire des piqûres à son ami. Elle écouterait battre son cœur, lui laverait les dents, lui nettoierait la peau, réparerait ses nageoires et lui ferait des prises de sang. Très vite, elle serait une vétérinaire célèbre. On lui apporterait des dauphins à soigner des quatre coins du monde. Elle vivrait sur une île. On l'interviewerait à la télévision. Le Président de la République lui remettrait une médaille pour la remercier de soigner aussi bien les mammifères marins. Et Julien regretterait de lui avoir préféré Kitty. Il serait très malheureux. Il ne se marierait pas.

Clara se leva d'un bond et courut vers sa chambre pour y chercher l'argent restant dans sa tirelire. Elle voulait acheter un dictionnaire sur les dauphins, pour tout savoir sur eux.

Combien de temps vivaient-ils ? Qu'aimaient-ils manger ? Quels étaient leurs ennemis ? Les requins ? Les baleines ?

Arrivée dans sa chambre, Clara eut une mauvaise surprise : sa tirelire était vide. Elle alla aussitôt rendre visite à son petit frère, pour lui emprunter de l'argent. Parfois, dans le passé, il lui avait prêté dix euros. Elle les lui avait toujours rendus.

Clara trouva Baptiste occupé à feuilleter un grand album sur la pêche à la ligne.

– Je peux parler un peu avec toi sans trop te déranger, s'il te plaît ? lui dit-elle.

– Oui, répondit-il un peu méfiant, car il n'était pas habitué à ce que sa sœur soit aussi prévenante avec lui.

– Tout va bien ? reprit-elle.

– Oui, répéta-t-il. Ce matin, je me suis fait un nouveau copain. Il s'appelle Benjamin. Cet après-midi, nous irons pêcher tous les deux.

– Je suis contente pour toi, fit Clara. Tu me prêtes dix euros ?

– Impossible, soupira Baptiste. Je n'ai plus rien. Je viens de m'acheter un masque, un tuba et des palmes.

15

– Je te les rendrai le plus vite possible. Allez, sois sympa…

– Mais puisque je te dis que je n'ai plus d'argent dans ma tirelire !

– Menteur ! s'emporta Clara. Sale menteur !

– Et ça c'est quoi ? cria Baptiste en montrant le masque, le tuba et les palmes qu'il avait achetés le matin même. Alors, maintenant, sors de ma chambre !

Clara préféra quitter les lieux avant d'en venir aux mains avec son frère. Elle était très contrariée. Comment allait-elle pouvoir s'acheter le dictionnaire sur les dauphins dont elle rêvait ? Elle savait bien que, pendant les vacances, leurs parents ne leur donnaient pas d'argent de poche. Quant à demander encore un cadeau à sa mère, qui venait de lui offrir des tongs, mieux valait ne pas y compter.

Pendant le repas de midi, M. et Mme Loiseau parlèrent de la tempête qui avait soufflé la nuit dernière.

– C'est un événement qui se produit rarement en été, dit Mme Loiseau.

– Il n'y a vraiment plus de saisons, bougonna M. Loiseau.

— Voilà une phrase originale, lui dit sa femme, pour le taquiner.

Ils parlèrent ensuite du cargo, échoué sur la plage.

— Des spécialistes vont essayer de le désensabler lundi ou mardi, annonça M. Loiseau. Un remorqueur va tenter de le tirer vers le large, à l'aide d'un câble très solide. Nous irons voir ça.

— Et vous, mes chéris, qu'avez-vous fait ce matin ? demanda Mme Loiseau.

— J'ai acheté du matériel pour nager sous l'eau avec Benjamin, mon nouveau copain, répondit Baptiste. Il est très sympa. On va bien s'amuser tous les deux.

— Et toi ? fit M. Loiseau en se tournant vers sa fille.

— Je me suis promenée, dit Clara, en s'efforçant de paraître enjouée.

Elle n'avait pas envie qu'on s'intéresse à elle.

— Tu n'as pas revu Julien et Kitty ? lui demanda sa mère.

— Si, un peu, fit Clara.

— Qui est Kitty ? demanda Baptiste le curieux.

— Une fille de Paris que tu ne connais pas, marmonna Clara.

Après le dessert, on sonna à la porte de la maison. Baptiste se précipita pour aller ouvrir, persuadé que Benjamin venait le chercher pour une partie de pêche. Mais bientôt il s'écria :

– Clara ! Quelqu'un voudrait te parler !

Elle se demanda qui souhaitait la voir, à part Julien. Était-ce le journaliste qui revenait l'ennuyer ? Elle traversa lentement l'étroit couloir menant à la porte d'entrée et jeta un coup d'œil dans la rue. Soudain, sur le trottoir, elle vit Kitty. Celle-ci lui dit :

– Viens avec moi ! Le dauphin qui t'a sauvé la vie est en danger de mort !

Le visage de Clara devint blanc comme un linge.

5

Clara courait derrière Kitty et une foule de questions se bousculaient dans sa tête : la Parisienne lui avait-elle tendu un piège ? Qui lui avait donné son adresse ? Et qu'était-il arrivé à Sauveur ? Lui avait-on tiré dessus pour l'éloigner de la côte ? Avait-il heurté un bateau ?

– Plus vite ! lança Kitty.

Clara puisa dans ses dernières forces pour accélérer son allure. Ses jambes lui faisaient mal. Sa gorge la brûlait.

Bientôt, elle arriva sur la digue en béton derrière laquelle une dizaine d'hommes étaient groupés, penchés au-dessus de quelque chose. Ils paraissaient porter un poids extrêmement lourd.

– Ho… hisse ! disaient-ils, pour se donner du courage.

En s'approchant d'eux, Clara se rendit compte qu'ils tenaient la toile de tente, qu'elle avait vue le matin sur les rochers. Elle s'approcha encore et vit que, dans la toile, se trouvait le dauphin !

Respirait-il encore ? Clara, sous le choc, effleura la peau de son ami.

– Sauveur, je suis près de toi, souffla-t-elle, hors d'haleine.

Les hommes lui demandèrent de se pousser de côté, pour ne pas ralentir leur progression vers la mer, dans laquelle attendait un canot pneumatique, équipé d'un moteur. Tous grimaçaient tant ils faisaient des efforts. Clara eut envie de participer au sauvetage, mais elle comprit bien vite qu'elle gênerait la manœuvre et elle demeura à l'écart, les mâchoires crispées. Elle était angoissée. Pourquoi Sauveur s'était-il échoué là ? Avait-il voulu la rejoindre ?

– Je t'aime si fort, murmura-t-elle.

Enfin les hommes atteignirent l'eau et hissèrent, avec beaucoup de peine, le dauphin sur le canot, dont le moteur rugit aussitôt. Quatre pompiers étaient à bord de l'embarcation, qui s'éloigna vite vers le large. Bientôt, Sauveur pourrait nager librement. Clara ne quitta pas le canot des yeux, jusqu'à ce que son ami soit de nouveau dans l'eau. Ce fut un soulagement pour elle et ses muscles se détendirent.

Un homme s'approcha d'elle et posa les mains sur ses épaules.

– C'est le dauphin qui t'a sauvée de la noyade, n'est-ce pas ? lui demanda-t-il.

Clara hocha la tête.

– Il s'est échoué dans les parages pour une raison que nous ignorons, poursuivit-il. La tempête l'aura peut-être perturbé.

– Je ne l'ai pas vu ce matin sur les rochers, remarqua Clara. Il n'a pas été blessé ?

– Un dauphin qui séjourne hors de l'eau court toujours un grand danger, répondit l'homme. Car une fois qu'il est sur terre, son propre poids l'empêche de respirer. Ses chances de survie sont assez faibles si l'on n'agit pas rapidement. Heureusement que ton amie nous a prévenus.

– Quelle amie ? s'étonna Clara.

– Je crois qu'elle s'appelle Kitty, fit l'homme en se tournant de tous côtés. Mais… où est-elle passée ?

La Parisienne avait disparu. Clara reprit :

– Vous pensez que Sauveur vivra ?

– Sauveur ? fit l'homme en fronçant les sourcils.

– Le dauphin.

– S'il vivra ? Il faut l'espérer.

Clara resta immobile à scruter l'océan avec l'espoir d'apercevoir l'aileron de son cher Sauveur. Elle se sentait mal à l'aise. Elle s'en voulait de ne pas avoir participé davantage au sauvetage de l'animal. Et dire que ce n'était même pas elle qui avait prévenu les secours. Elle pensa au comportement si étrange de Kitty : pourquoi la Parisienne, capable de lui écraser les pieds, l'avait-elle informée du danger encouru par le dauphin ? Clara se rappela de ce que lui avait dit Julien : « Kitty t'aime beaucoup. D'ailleurs elle voudrait te ressembler. »

– Eh bien, moi, je n'ai vraiment pas envie de lui ressembler, maugréa Clara.

Elle se retourna et vit son père, qui l'avait suivie jusque-là.

– Je voulais voir où tu courais comme ça, dit M. Loiseau en souriant.

Elle lui sourit aussi. Il ajouta :

– Je sais ce que tu ressens à propos de ton ami le dauphin et je voudrais que tu saches que nous te comprenons, ta mère et moi.

– Oh, papa ! J'ai si peur pour Sauveur, dit

Clara en s'effondrant en larmes dans les bras de son père.

Pleurer lui fit du bien.

Pour lui remonter le moral, M. Loiseau l'emmena au Muséum du Coquillage, situé près du port des Sables d'Olonne. Là, elle vit de magnifiques étoiles de mer et des oursins multicolores. À la fin de la visite, son père lui offrit un collier avec une petite perle, exposé dans l'une des vitrines de la boutique du muséum. Clara le remercia et accrocha le bijou autour de son cou.

– Cette perle te va très bien, dit M. Loiseau.

Clara rougit de plaisir.

Quelques instants plus tard, ils se trouvaient sur le Remblai. Ils regardèrent le cargo échoué sur la plage. Des barrières de sécurité avaient été dressées, pour éviter que les gens ne s'approchent trop près du navire, qui pouvait basculer et se coucher sur le flanc. Il pesait tout de même 3 600 tonnes !

– Que transportait-il ? demanda Clara.

– Il était vide, répondit son père.

– Y a-t-il eu des blessés quand le bateau s'est échoué ?

– Non, dit M. Loiseau. Les six personnes qui se trouvaient à bord du cargo sont saines et sauves.

Soudain, Clara aperçut Kitty qui se faufilait parmi la foule des badauds. Elle eut envie de la suivre. Elle voulait avoir une explication franche avec elle.

– Je vais voir quelqu'un si tu veux bien, dit-elle à son père.

– D'accord, fit-il. À tout à l'heure.

Clara marchait à grandes enjambées, de crainte de perdre la trace de Kitty. Que lui dirait-elle ? Rends-moi mes tongs bleues ? Elle ralentit un peu son allure, en se demandant si elle avait réellement envie de discuter avec une voleuse. N'avait-elle pas plutôt un peu peur de l'aborder ?

Elle s'engagea dans une ruelle si étroite que deux personnes n'auraient pas pu y progresser côte à côte. Kitty était devant elle, avec aux pieds, ses tongs bleues. Elle pressa le pas et dut brusquement s'arrêter. La Parisienne avait fait volte-face et se tenait immobile, au centre de la ruelle, bien plantée sur ses jambes.

À qui Clara veut-elle demander des explications ?

– Qu'est-ce que tu veux ! cria Kitty avec arrogance. Tes godasses ? Les voilà !

Elle lança les tongs bleues en direction de Clara, qui ne bougea pas d'un millimètre.

– Ramasse ! brailla Kitty.

– Non, mais tu me prends pour qui ? s'écria Clara, en colère. Je ne veux pas que tu me parles ainsi ! Et puis, qu'est-ce que je t'ai fait ? Depuis le début tu ne n'aimes pas ! Pourquoi ? Dis-moi pourquoi ?

– Laisse-moi ! hurla Kitty.

– Pourquoi ? cria Clara.

– Arrête de me suivre !

– Pourquoi ?

– Arrête de dire pourquoi et arrête d'avancer !

Clara s'était rapprochée de Kitty et se trouvait désormais tout près de son ennemie. Elle perçut son souffle sur sa joue. Elles se défièrent du regard. Allaient-elles se battre ? Clara sentit la main droite de Kitty lui effleurer la gorge. Tout à coup, elles reçurent une telle quantité d'eau qu'elles furent vite trempées jusqu'aux os. Une habitante de la ruelle, excédée par leurs cris, venait de vider sur elles le contenu d'un grand seau.

— Allez vous disputer ailleurs ! leur ordonna la femme penchée à sa fenêtre. Ici, on n'aime pas les bagarres !

À nouveau, Clara et Kitty se regardèrent ou, plus exactement, elles cherchèrent à se voir à travers leurs cheveux mouillés. Alors, dans le même mouvement, elles rejetèrent leurs têtes en arrière.

— Tu ressembles à une grenouille, lâcha Clara.

— Toi aussi ! répliqua Kitty.

— À une grenouille très moche !

— Toi aussi !

Elles éclatèrent de rire.

— Allez-vous en d'ici ou j'appelle la police ! vociféra la femme.

Clara prêta ses tongs bleues à Kitty et elles quittèrent la ruelle avant d'être encore aspergées, ou pire, d'être emmenées dans le commissariat le plus proche.

Kitty entraîna Clara au bord d'un petit lac peuplé de canards et de cygnes, auxquels se mêlaient quelques mouettes. Sur le chemin, elles n'échangèrent pas un seul mot. Kitty n'avait pas l'air d'être une bavarde. Quant à Clara, elle éprouvait des sentiments contradictoires. D'un 18 côté, elle était curieuse de tout savoir sur la Parisienne, mais d'un autre, le comportement souvent agressif de Kitty la poussait à se tenir sur ses gardes.

— J'aime bien venir là, murmura Kitty en brisant le silence. Ça change, le calme.

— Tu es bizarre, lui dit Clara. Tu es capable de me prévenir quand Sauveur est en grand danger, mais tu es tout autant capable de m'insulter, de m'écraser les pieds et de prendre quelque chose qui m'appartient…

— Je te préviens, l'interrompit Kitty, je n'ai pas l'habitude de parler.

— Et de voler, tu en as l'habitude ?

Le visage de Kitty se rembrunit.

— Pourtant, tu portes toujours de beaux vêtements, reprit Clara. Tes parents doivent être très riches. Je ne te comprends pas.

— Rien n'est à moi, avoua Kitty à mi-voix. Rien n'est à moi.

À cet instant, un homme brun d'une quarantaine d'années apparut. Il portait un foulard rouge autour du cou, un pantalon de toile bleue, un tee-shirt jaune et des baskets. Aussitôt que Kitty le vit, elle se raidit. Puis l'homme lui fit signe d'approcher. Ses traits étaient durs, inquiétants.

– C'est ton père ? murmura Clara.

Kitty secoua la tête. Elle paraissait très angoissée.

– Mais que se passe-t-il ? ajouta Clara.

Kitty sortit d'une de ses poches la perle que M. Loiseau avait offerte à sa fille et la rendit à sa propriétaire.

– Je te l'ai volée dans la ruelle, dit la Parisienne, crispée. C'est plus fort que moi. Maintenant, il faut que je parte. Surtout ne me suis pas. NE ME SUIS PAS !

L'homme s'impatientait. Kitty le rejoignit vite. Il la prit par un bras et l'emmena, sans ménagement, hors de la vue de Clara. Celle-ci, choquée, ne sut quoi faire. Mais qui était ce type ? Soudain, Clara fit un bond en arrière. Un cygne, tout juste sorti du lac, venait de lui pincer un mollet. Elle partit en courant.

6

Clara retrouva Julien en train de jouer au football sur la plage avec des garçons qu'il avait rencontrés. Il était gardien de but. Il ne quittait pas le ballon des yeux et se tenait prêt à l'intercepter.

– Il faut que je te parle ! cria Clara, qui gesticulait sur le bord du terrain.

Il tourna la tête de côté, la vit et lui dit :

– Pas maintenant !

Elle insista, il s'énerva et crut enfin avoir la paix. Mais Clara n'était pas d'humeur à attendre la fin de la partie. Elle se planta devant son copain et lui demanda qui était l'homme au foulard rouge.

– Pousse-toi ! hurla Julien, paniqué parce qu'il ne voyait plus le ballon.

Clara ne se poussa pas et il sentit trembler les filets de la cage qu'il était chargé de garder. Il venait de prendre un but.

– J'arrête de jouer ! cria-t-il à ses coéquipiers.

Il fusilla Clara des yeux et s'éloigna en bougonnant. Il paraissait très en colère et donna un coup de pied dans un château de sable. Clara le suivit à distance et le rattrapa vingt mètres plus loin, alors qu'il venait de tomber au fond d'un trou creusé par un enfant.

– J'ai des questions à te poser, commença-t-elle : où habite Kitty et qui est l'homme au foulard rouge ?

– Ne me parle plus de Kitty, répondit Julien, d'un ton sec. Elle a volé ma mini console de jeux vidéo. Et ne me parle plus du tout. À cause de toi, j'ai pris un but.

Il se releva, sortit de son trou et poursuivit son chemin, en marmonnant de plus belle. Clara renonça à le suivre et elle rentra chez elle.

Pendant le dîner, son père lui demanda où était la petite perle qu'il lui avait offerte. Clara la sortit de sa poche et raconta que la chaîne qui tenait le bijou s'était rompue toute seule. M. Loiseau prit le collier et promit de le réparer le lendemain.

Baptiste parla de la journée qu'il avait passée avec Benjamin, son nouveau copain. En nageant sous l'eau, ils avaient attrapé des crabes, qu'ils avaient rangés dans une bassine remplie d'eau de mer.

— Où est la bassine ? demanda Mme Loiseau.

— Dans ma chambre, répondit Baptiste.

— Tu la mettras dans le jardin avant de te coucher, reprit sa mère.

Il acquiesça.

Après le dîner, Clara eut beaucoup de mal à trouver le sommeil. Le visage de l'homme au foulard rouge l'obsédait. Kitty était-elle en danger ? Clara se tourna et se retourna dans son lit, en imaginant le pire : elle vit l'homme la poursuivre avec un grand couteau. Il voulait la faire taire. C'était atroce. Elle crut l'entendre courir, dans son dos. Il était sur le point de la rattraper. Bientôt elle sentirait la lame froide du couteau sur sa peau… Elle se leva, alluma sa lampe de chevet et alla dans la salle de bains pour se passer la tête sous l'eau, afin de se calmer et de se changer les idées. Elle voulait ne plus penser à rien et s'endormir enfin. Il était tard, plus de minuit. Et dans la maison, pas un bruit.

Clara regagna sa chambre et laissa la porte entrouverte derrière elle. Ensuite elle éteignit sa lampe de chevet. L'eau fraîche, sur son visage,

De quoi Clara a-t-elle peur ?

lui avait fait du bien. Elle s'allongea sur son lit et se mit à respirer le plus lentement possible, pour que vienne le sommeil. L'image de Sauveur s'imposa bientôt à elle : elle le vit danser sur les flots, exécuter des pirouettes. Il souriait. Il était beau. Elle eut envie de monter sur son dos et il se laissa faire, il était si gentil, sa peau était si douce.

– En avant, murmura Clara, une fois qu'elle se fut accrochée, en rêve, à l'aileron du dauphin.

Ils partirent droit devant eux, dépassèrent des bateaux, une île et puis une autre. La mer était très calme. Au-dessus de leur tête, dans le bleu du ciel, des mouettes semblaient les suivre… Clara était en train de sombrer dans le sommeil quand elle ressentit des picotements, le long de sa jambe gauche. Elle voulut se gratter, mais sous ses doigts, elle trouva une matière dure et bizarre. Elle se redressa dans son lit, alluma sa lampe de chevet et poussa un cri. Un gros crabe effrayant se promenait sur sa cuisse.

– Baptiste ! hurla-t-elle. Vite ! À l'aide !

Toute la maison se réveilla et son frère fut puni pour ne pas avoir mis sa bassine pleine de crabes dans le jardin.

Le lendemain, Clara se réveilla tard. Elle trouva un mot de sa mère, dans la cuisine : « Ma chérie, nous sommes partis tous les trois voir le bateau échoué. Rejoins-nous sur le Remblai et ferme bien la maison à clé en partant. Maman ».

Clara retourna dans sa chambre pour y chercher sa clé. Elle croyait bien l'avoir posée sur sa table de nuit, mais elle se trompait et se mit à la chercher partout : sous son lit, sous le tapis, dans les poches de son pantalon. Hélas, la clé de la maison que sa mère lui avait confiée demeura introuvable. Clara pensa alors qu'elle l'avait peut-être accrochée dans l'entrée. Elle s'y dirigea, et comme elle atteignait l'étroit couloir menant à la rue, la porte de la maison s'ouvrit tout à coup sur Kitty échevelée, hors d'haleine, paniquée.

– Tu peux fermer à clé ? dit la Parisienne en claquant la porte derrière elle.

– Mais non, bredouilla Clara, stupéfaite. Qu'est-ce qui se passe ?

– Je suis poursuivie !

Kitty chercha des yeux un meuble pour bloquer l'accès de la maison et dut se contenter d'une chaise, qu'elle mit en travers de la porte. Puis elle poussa Clara vers la salle à manger et lui expliqua que son oncle était devenu fou furieux en apprenant qu'elle ne voulait plus vivre avec lui.

— Ton oncle ? ânonna Clara.

— Il m'a recueillie après la mort de mes parents, répondit Kitty. Il m'oblige à voler et il me crie dessus si je ne lui ramène rien.

— C'est lui que j'ai vu hier avec l'écharpe rouge ?

— Oui, dit Kitty. Je veux partir chez mes grands-parents. Ils habitent dans l'Est de la France. Je veux changer de vie. J'en ai assez de voler tout le monde. J'ai envie d'avoir des amis.

— Je vais t'aider, fit Clara.

Kitty hocha la tête au moment où le visage de son oncle apparut à travers la fenêtre du salon.

— Le voilà ! s'écria Clara.

Elles se blottirent l'une contre l'autre. Elles tremblaient comme des feuilles.

— J'ai une idée ! reprit Clara.

Elle prit la main de Kitty et l'entraîna vers le jardin, situé derrière la maison et au fond duquel se dressait un petit mur. Elles l'escaladèrent et arrivèrent dans une rue qui conduisait au centre ville. Elles marchèrent vite, en se retournant sans cesse pour voir si l'homme les suivait. Mais elles ne le virent pas. Avait-il renoncé à pénétrer dans la maison ?

— Au début, il s'occupait bien de moi, raconta Kitty. Il était marié. Il était gentil. Un jour, sa femme l'a quitté et il s'est mis à boire. Ça l'a rendu méchant. J'ai commencé à avoir peur. Puis, il a perdu son travail. Il s'est retrouvé sans argent et on a dû quitter Paris, où on vivait. C'est depuis ce temps-là qu'il me force à voler. Tout ce que je lui apporte, il le revend.

— Et la console de jeux de Julien ? demanda Clara. Il l'a déjà revendue ?

— Non, répondit Kitty. Je l'ai cachée sous un rocher, tout près de l'endroit où j'ai pris tes tongs. Julien et toi, je vous aime bien. J'étais en colère contre moi d'être obligée de vous voler. Je me sentais si mal…

Clara se souvint de ce que lui avait dit sa mère, à propos de Kitty : « Si elle veut te faire du mal, cela signifie qu'elle-même se sent mal. »

— Excuse-moi de t'avoir traitée de "plouc", dit encore Kitty.

— Je te rappelle que tu m'as aussi écrasé les pieds, fit Clara.

— Je ne l'ai pas fait exprès ! protesta Kitty. Je ne t'avais pas vue.

Elles arrivèrent près de la fontaine dans laquelle Clara, la veille, avait jeté des cailloux. Elles s'assirent sur un banc. Il y avait du monde autour d'elles. Elles se sentirent en sécurité.

— J'aimerais tellement te ressembler, avoua soudain Kitty. J'aimerais beaucoup avoir une famille comme la tienne… Mes parents sont morts en même temps, dans un accident de voiture. J'avais cinq ans…

Clara tâcha de retenir les larmes qui lui montaient aux yeux. Kitty lui prit les mains, se pencha vers elle et murmura :

— Je serai bien avec mes grands-parents. Mais pour que je sois vraiment heureuse, il faudrait qu'on échange nos adresses, qu'on se téléphone, qu'on se revoie.

— Promis juré, dit Clara, la gorge serrée.

— Tu me donneras aussi des nouvelles de Sauveur ?

— Promis, répéta Clara.

— Je crois que c'est grâce à lui que j'ai décidé de me révolter contre mon oncle. Sauveur m'a donné envie de devenir quelqu'un de bien. Tu sais ce que je veux faire plus tard ? Vétérinaire pour dauphins !

– Ah, non ! s'écria Clara. Ça, c'est mon idée !

Un quart d'heure plus tard, Kitty se rendit au commissariat des Sables d'Olonne et elle raconta son histoire à un policier. Celui-ci l'écouta attentivement, en prenant des notes. Puis il ordonna à deux de ses collègues de partir à la recherche de l'oncle de la jeune fille et de le ramener dans son bureau.

– Vous ne serez pas trop méchant avec lui ? demanda Kitty.

– Non, répondit le policier. Maintenant, je vais prévenir tes grands-parents. Ils viendront te chercher. Ne t'inquiète pas.

Clara n'eut pas le droit de rester longtemps au commissariat. Elle donna son adresse à Kitty et l'embrassa en lui souhaitant bonne chance. Kitty la serra longuement contre elle et lui demanda de bien prendre soin de Sauveur.

– Je veillerai sur lui, fit Clara.

– J'ai encore quelque chose à te dire, ajouta Kitty : je peux garder tes tongs bleues ?

– Je t'en fais cadeau.

– Merci beaucoup. Merci pour tout.

Clara était très émue.

Puis elle partit rejoindre son frère et ses parents sur le Remblai. Un policier fut chargé de l'accompagner et de la protéger, dans le cas où elle rencontrerait l'homme au foulard rouge, qu'on arrêta quelques minutes plus tard. Ce même policier informa M. et Mme Loiseau des événements dont leur fille avait été témoin.

– Quelle histoire ! fit Baptiste, stupéfait d'apprendre que sa sœur et l'une de ses amies avaient été poursuivies par un dangereux voleur.

Sur la plage, des hommes creusaient un chenal dans le sable, afin de faciliter le remorquage du cargo vers le large. Clara les regarda travailler. Mais en réalité, elle avait la tête ailleurs : elle était auprès de Sauveur et de Kitty. Les reverrait-elle un jour ?

7

Le lendemain, Clara nagea une nouvelle fois vers le large. Elle s'éloigna des rochers avec la certitude de se rapprocher de Sauveur. Il ne pouvait pas l'avoir quittée comme ça, c'était impossible.

Clara se retourna et vit que la côte était loin. À cet instant, un gros nuage noir masqua le soleil. Ah, si le vent se levait, si des vagues se formaient, si un orage éclatait, Clara serait en danger et le dauphin reviendrait pour la sauver ! Et si elle faisait semblant de se noyer ?

– Sauveur ! cria-t-elle. Je ne me sens pas bien du tout !

Sa voix se perdit dans l'immense océan tandis que le soleil brillait à nouveau. Au loin, un grand voilier traversait lentement l'horizon.

– Sauveur ! répéta Clara. Si tu ne viens pas maintenant, je rentre chez moi ! Tant pis pour toi !

Elle s'arrêta de nager, s'allongea sur le dos et

tendit l'oreille, avec l'espoir d'entendre le sifflement de son ami. Au-dessus de sa tête, une mouette évoluait. L'oiseau, à un moment, descendit vers elle en piqué, comme s'il voulait l'attaquer. Clara se remit sur le ventre et plongea vite sous l'eau. Alors, elle distingua une forme sombre, derrière un banc de petits poissons. Sur le coup, elle se tint sur ses gardes. Puis, aussitôt après, elle entendit enfin le sifflement de Sauveur et son visage s'éclaira d'un large sourire. Elle remonta à la surface en même temps que le dauphin. La mouette avait repris de la hauteur et s'éloignait tranquillement vers la côte.

Sauveur se mit à faire des cabrioles toutes plus extraordinaires les unes que les autres. Il était en grande forme et n'avait donc pas souffert de son échouage sur les rochers. Clara, heureuse d'assister à un véritable festival de sauts et de pirouettes, ne le quittait pas des yeux. Et quand Sauveur cessa son numéro pour se rapprocher d'elle, elle l'applaudit.

– Bravo ! lança-t-elle. Tu es le meilleur !

Il vint se placer à côté d'elle et ne tarda pas à poser sa tête dans son cou. Clara le caressa et lui parla de Kitty, qui avait perdu ses parents.

– C'est terrible, murmura-t-elle. J'espère qu'elle trouvera beaucoup de réconfort auprès de ses grands-parents. Je n'arrête pas de penser à elle. Je l'ai si mal jugée. Mais je ne pouvais pas savoir que son oncle l'obligeait à voler dans les magasins… Tu te rends compte, Sauveur ? C'est si bon de te parler…

Soudain, le dauphin recula sur l'eau, en se tenant droit comme un i, et en faisant face à son amie. Il était vraiment comique.

– J'adore quand tu fais le clown ! s'écria Clara.

Sauveur parut sourire à pleines dents et émit une sorte d'aboiement. Voulait-il imiter un chien ? En tout cas, il avait l'air fier de lui. « Quel comédien ! », pensa Clara.

Il se mit à nager autour de son amie, en effectuant des bonds. Elle eut envie de lui parler de son tout dernier projet : devenir vétérinaire pour dauphins.

– Surtout, ne le dis pas à Kitty, souffla-t-elle. Elle a eu la même idée que moi. Mais c'est moi qui te soignerai le jour où tu seras malade. Moi et personne d'autre !

Encore une fois, il sembla l'écouter et la comprendre. Elle lui parla aussi de sa copine

Lucie, qui lui ramènerait peut-être de Londres un tee-shirt rose. Elle lui parla encore de Julien, de son frère Baptiste et de ses parents. En fait, lui raconter sa vie l'accapara tellement qu'elle ne vit pas toute de suite qu'il nageait en traçant des cercles de plus en plus grands. Il était en train de s'éloigner d'elle.

Bientôt, il fut si loin de Clara qu'elle fronça les sourcils.

– Mais qu'est-ce que tu fais ? cria-t-elle. Reviens ! Reviens près de moi !

Il s'immobilisa et la regarda longuement avant de disparaître. Elle eut le pressentiment qu'il était sur le point de se passer quelque chose d'important. Soudain, tel une fusée, Sauveur jaillit des profondeurs et effectua un bond d'une hauteur fantastique, presque à toucher les nuages ! Sa chute dans l'océan souleva une gerbe d'eau magnifique, qui fut suivie par un profond silence. Clara, stupéfaite par la prouesse de son ami, comprit bien vite qu'il venait de lui offrir une sorte de cadeau d'adieu. Il était parti rejoindre sa famille, au pays des dauphins… Elle aurait tant voulu le garder auprès d'elle pour toujours. Elle avait le cœur gros.

23

Que cherchent Julien et Clara ?

Quelques instants plus tard, Clara était allongée sur les rochers. Elle se sentait triste. Pour retrouver sa joie de vivre, elle se souvint de tous les bons moments qu'elle avait passés avec Sauveur. Elle se rappela ensuite de ce que lui avait dit Kitty, à propos du dauphin : « Il m'a donné envie de devenir quelqu'un de bien. » Cette phrase virevolta dans sa tête jusqu'à ce qu'elle entende des pas, derrière elle. Elle se redressa, se retourna et vit Julien.

– Tu sais où est Kitty ? dit-il.

– Non, répondit-elle en se levant. J'imagine que tu cherches ta console de jeux vidéo ? Elle est sûrement dans les parages.

Clara se rapprocha de l'endroit où Kitty lui avait pris ses tongs et aperçut bientôt la console, entre deux rochers. Elle l'extirpa de sa cachette et la tendit à son copain. Il la prit et l'examina avec attention.

– Un problème ? fit Clara.

– Non, bredouilla Julien. C'est ma console, je la reconnais. Mais comment as-tu pu savoir qu'elle était là ?

– Kitty me l'a dit. Et elle m'a dit aussi de te dire au revoir de sa part.

– Comment ça ? reprit-il, troublé. Elle ne veut plus me voir ?

– Elle est partie. Mais je croyais que tu ne voulais plus entendre parler d'elle ?

Julien marmonna, haussa les épaules et tourna les talons.

Trois jours plus tard, le cargo échoué sur la plage des Sables d'Olonne put enfin être remorqué vers le large, sous les applaudissements des nombreuses personnes qui assistèrent à la scène. Parmi elles, se trouvait la famille Loiseau.

Baptiste n'avait qu'une envie : rejoindre son copain Benjamin pour une partie de pêche sous-marine. Clara, elle, n'avait pas d'envie particulière. Elle vivait dans la nostalgie de ses rencontres avec Sauveur et avec Kitty.

Lorsque le cargo se fut éloigné de la côte, Clara décida d'aller faire un petit tour en ville. Elle aimait bien se promener le long des ruelles bordées de boutiques de mode.

À peine eut-elle parcouru une dizaine de mètres qu'elle sentit une présence, dans son dos. Elle se retourna et vit Julien qui la suivait à distance. Ils se firent un signe de la main. Puis Julien, après un temps d'hésitation, marcha vivement vers Clara et vint se planter devant elle.

– Qu'est-ce que tu veux ? demanda-t-elle.

– Eh bien… euh… voilà, commença-t-il, gêné. Accepterais-tu de…

– Quoi ?

– Veux-tu manger une glace avec moi ? reprit-il. C'est moi qui te l'offre. Une grosse glace.

– D'accord ! fit Clara.

– Avec de la crème ? dit Julien.

– Des tonnes de crème !

Ils éclatèrent de rire et se dirigèrent vers un glacier.

Clara était contente. Elle pensa à Lucie. Quand sa copine serait de retour de Londres, elle s'empresserait de lui raconter que le plus beau garçon de la classe lui avait offert une grosse glace. Lucie en serait verte de jalousie.

1
vriller les tympans
Faire mal aux oreilles.

2
ballotté
Remué, bousculé.

3
sidéré
Très étonné.

4
une **digue**
Construction en béton
qui avance dans la mer.

5
être saisi d'**effroi**
Être terrorisé.

6
désemparé
Ne sachant pas quoi faire.

7
revenir la **hanter**
Ne pas pouvoir
s'empêcher d'y penser.

8
ruminer une vengeance
Penser et repenser
à se venger.

9
sceptique
Qui ne croit pas
ce qu'on lui dit.

10
dans les **parages**
Dans les environs.

11
une **crique**
Petite baie.

12
une **météorite**
Pierre qui vient de
l'espace.

13
le **Remblai**
Nom du boulevard qui
longe la mer aux Sables
d'Olonne.

14
des objets **hétéroclites**
Objets différents les uns
des autres.

15
un **tuba**
Tuyau en plastique
qui permet de respirer
sous l'eau.

16
enjoué
Très content.

17
avec **arrogance**
Avec mépris et insolence.

18
des sentiments
contradictoires
Sentiments opposés
les uns aux autres.

19
l'**intercepter**
L'attraper.

20
un **chenal**
Tranchée pour servir
de passage.

21
en **piqué**
Descente rapide, presque
verticale.

22
un **banc** de poissons
Grande quantité de
poissons se déplaçant
ensemble.

23
un **pressentiment**
Sentiment que quelque
chose va arriver.

24
extirper
Sortir avec difficulté.

25
la **nostalgie**
Souvenir un peu triste.

Pour t'aider à lire

Les aventures du rat vert

Les aventures de Mamie Ratus

Ralette, drôle de chipie

Les histoires de toujours

Super-Mamie et la forêt interdite

L'école de Mme Bégonia

La classe de 6^e

Conception graphique couverture : Pouty Design
Conception graphique intérieur : Jean Yves Grall • mise en page : Atelier JMH

Imprimé en France par Pollina, 84500 Luçon - n° L49085
Dépôt légal n°113463 - janvier 2009